家族の絆

愛の詩12

岐阜県養老町

大巧社

本書は令和二年度の第二十一回「家族の絆　愛の詩」
（主催―岐阜県養老町愛の詩募集実行委員会
後援―岐阜県教育委員会
協賛―養老町観光協会・養老町小中学校長会・
養老郡町ＰＴＡ連合会・養老鉄道を守る会）
の入賞作品を中心にまとめたものである。
選考は冨長覚梁、椎野満代、頼圭二郎、岩井昭、天木三枝子の諸氏である。

目次

佳作●● 37

小中学生の部

一般の部

あとがき

版画……山田喜代春
装幀……岩崎　美紀

家族の絆　愛の詩に寄せて

モヤモヤしたものに言葉で形を与える

冨長　覚梁

今年度は春からコロナの感染が全国に拡がり、学校は休みになって友だちとも会えなくなり、大人たちも外出もできず、家の中での生活を強いられました。当り前のこととして行われてきたさまざまの行事も中止となり、今まで経験したこともない日常がはじまりました。

こうした未曾有《みぞう》の災禍のなかで、例年どおり「家族の絆・愛の詩」の募集がはじまりました。そして、九月の原稿の締め切り。関係者のみなさんはあれこれと案じました。そして締め切り日を迎えてみると、応募いただいた数は例年と変わらず、しかも今年度は沖縄からも多くの方が応募していただき、関係のみなさんと感激し感謝をいたしました。

そして応募いただいた詩作品を選考させていただいた委員が、口を揃《そろ》えて語ったのは、「愛の詩」になりえている作品が、今回は多くみられたという嬉《うれ》しい感想でした。作品の内容が「家族の絆」そのものに充《み》ちており、またその表現が詩となりえているものが多くあったということです。

絵を描くには、画用紙・クレヨン・絵の具が必要であり、また書を書くには、筆・墨・用紙が必要です。こうした素材は欠かせません。しかし詩を書くには、こうした素材は一切いりません。詩に大切なものは、ただ一つ言葉だけなのです。言い換えれば、言葉そのものが詩なのです。

したがって「愛」を言い現すには、使い慣れたり言い古されたりした言葉ではなく、自分だけがすくいえた新鮮でみずみずしい言葉でなければなりません。そしてまた詩は、言葉と言葉のつながりの確かさから生まれることを忘れてはいけません。

小中学生の部でいえば、最優秀賞を受賞された新井皐月さんの作品「糸」、優秀賞を受賞された小野杜真さんの作品「凪」、そして同じく優秀賞を受賞された倉田桜さんの作品「笑顔に変わったぶどう」などは、いずれもこうした言葉の確かさから生まれた力作であり、愛の実態をしっかり最後まで言葉で追いつづけている態度は、感心いたしました。

詩をつくるということは、モヤモヤしたものに、言葉で形を与えることです。したがって、家族のなかで感じた不確かなものを、確かにしていくことです。また詩をつくることは、経験し感じたことが、言葉で整理されることです。

したがって家族で経験したものが、生きたものになり、意味を持ったものになり、家族の愛をひしと実感することになるのでしょう。

こうしたことを応募していただいた沢山の作品から学びました。みなさんに感謝申し上げます。

（岐阜県詩人会顧問）

最優秀賞●●●●●●

糸

新井　皐月

私のマスクは　空色マスク
青くかすんだ　春の空
弟のマスクは　黄色のマスク
一面広がる　春野原
今年の春は　消えた春
毎日流れるニュースでは　命の数を伝えてる
病の足音聞こえれば　不安の糸がからまって

人と人とをつないでる
糸がぷっつり切れた音
頬《ほほ》をおおった　その布で
街にあふれた　のっぺらぼう
顔が見えない　私たち
こんなに不安になるんだね
足りないマスクの代わりにと
おばあちゃんが作った布マスク
使い古した　木綿のハンカチ
ほどいてぬって　糸通す
色とりどりの　春の色

使えなかった　あの糸も
吹き込まれた　春の息吹
僕のだよと弟が　つけようとした
黄色のマスク　上手に耳にかからない
かわりに私がかけてやる
こもった声で　ありがとう
目が糸みたいに細まった
ああ　そうなんだ
のっぺらぼうなんて　いないんだ
見えないだけで　だれだって
そのおおわれた布の下

笑って　泣いて　たえている
糸みたいなその目元　人と人とをつなぐ糸
切れてないよと教えてくれた
病の足音遠のいて　待ちに待った学校へ
やっと会えた友だちに
ちょっと離れて　手をふると
たちまちお互い目が糸に
ほら　だいじょうぶ
見えなくたって感じるよ
私とみんなをつなぐ糸
私と家族をつなぐ糸

（あらい　さつき・岐阜県　小6）

界隈

島田　奈都子

揃《そろ》いの水色の雨傘が
花咲くように干してある
ふうりんのように
猫の鈴の音色が揺れた
野菜を刻む歯切れ良いひびき
ぐずる赤ちゃんの泣き声

すべてが　いつだったか
一つ屋根の下に暮らしたころ
私にも　覚えのある世界だった

路地裏の石畳は
たくさんの家族に
踏まれ　すり減り
小鳥のようにひとりずつ
巣だって行ったけれど
またひとつ　夜の灯りがともり
この界隈《かいわい》に　ただいま　と

誰かの声がこだまする

不意に　もしや　と
部屋の扉をひらいてみたくなる
お帰り　と
優しい声が聞こえるかもしれない

幻だったような記憶が
ひとしきり
雨のように降りそそいだあと
空には金平糖をばらまいたように

星たちがきらめいた
たったひとり　生きてくれている
小さくなった母に
電話をかけよう
たまには子供に戻って
この界隈に暮らす
ありふれた日常を伝えるために

（しまだ　なつこ・埼玉県　54歳）

優秀賞

風

小野　杜真

風。時には温かく、時には冷たい。
いつも新しい何かを運んできてくれる。

風は家の中にだって吹いてくる。
一緒に話す会話にはあたたかい風が吹く。
僕がいけない事をすると台風のような荒々しい風が吹く。
カーッと頭に血が上るとスーッと冷たい風が吹く。

どんな風も最後は心地の良い温かいそよ風になる。

暇な時に吹く新しい風。
僕が知らない世界を見せてくれる。
勇気が出ない時に吹く追い風。
話しを聴きながら僕の背中を押してくれる。

僕の家にはたくさんの風が吹く。
どんな風も最後はやっぱり温かい。
僕はたくさんの風を全身で受け
風の強さや温度を感じる。

僕も温かい風を吹かせたい。

（おの　とうま・岐阜県　中1）

笑顔に変わったぶどう

倉田　桜

おばあちゃんがくれたぶどう
一粒一粒が大きくて
甘くてとても　おいしくて
姉弟《きょうだい》みんな嬉《うれ》しそう

最後に　一粒残ったぶどう
姉弟四人で　じゃんけんぽん
勝った私が　手に取ったけれど
一番下の弟が　今にも泣き出しそうな顔

思わず差し出した　最後の一粒
一番下の弟が　嬉しそうに口に入れ
おいしそうに　おいしそうに
食べる姿に　私も自然と笑顔になった
最後に一粒残ったぶどう
一番下の弟の　笑顔に変わった
おいしいぶどう

（くらた　さくら・岐阜県　中1）

おはぎ

中村　直子

運動会や学芸会といった
私のハレの日に
ばあちゃんは
おはぎを作ってくれた
重箱いっぱいのおはぎ
家族の幸せを願う想いが包まれた
大きなおはぎ
家族とかみしめながら食べた

一度だけ胸が苦しいおはぎ
私が就職で故郷を離れる日
ばあちゃんは
おはぎをパックに詰めてくれた
新幹線の車内で食べていると
「頑張れ」とばあちゃんの声が
聞こえた気がして
涙がじんわり出た

ばあちゃんが亡くなりいつからか
私が帰省すると
母さんが
おはぎを作っている

小皿にちょこんとのっているおはぎ
離れていても家族であるという想いが
ぎゅっとつまった小ぶりなおはぎ
家族と昔話をしながら食べる

そんな訳で
私はおはぎが好きだ
けれど一度も作ったことがない
今度帰省したら
母さんと一緒におはぎを作ろう
私のおはぎはどんな味になるだろう

（なかむら　なおこ・愛知県　40歳）

黒子

六月朔日　光

グーパーグーパーグーパーグーチョキパー
母の手を私に合わせする運動
母の小言の多い時

気を取り直しベランダで
吹くハーモニカ「里の秋」

惚《ほ》おけ行く母に優しい父でした
右と左違う靴下履き直し
送迎車の来るは昔は重役と

おどけて母送り出し
母の短歌一首を毎日作る私です

漆黒の闇夜《やみよ》に遊ぶ蛍《ほうたる》か
現《うつつ》も我も忘れたる母
母抱く私の気持ちは混沌《こんとん》と
母の鼓動を聴くふつふつと
幼い頃の私です

介護とは寄り添うでなく
あうんの呼吸の黒子です
梔子《くちなし》のしるき香の部屋
添い寝する夜のしじまに聞く音は

話せぬ母の尿道管に尿たれる音

（わたぬき　こう・福岡県　79歳）

佳作

小中学生の部

ようろう山とぼく

青山　湧音

ようろう山が　ピンク色になっているよ
下から上に　どんどん上がっていくね
気持ちがウキウキしてくるよ

だんだん　緑色がふえてきたよ
ピンク色から　きれいな緑色になったね
やる気が　どんどんわいてくるよ

今日は　緑色がキラキラしているよ
きのうの雨が　きっとうれしかったんだね
なんだかすごく近くに見えるよ

最近　緑色からオレンジ色になってきたね
上から下に　きれいな赤やオレンジが
広がっていくよ
ほんわか　あったかい気持ちになるよ

今日は　寒いと思ったら
ようろう山も　半分白くなっていたね
ぼくの「はあー」って　はく息と同じ色
お母さんに　ぎゅっと
だきしめてもらいたくなるよ

ようろう山とぼく　今日も明日も
ずっといっしょだね

（あおやま　わくと・岐阜県　小4）

もうひとりのわたし――かげ

伊藤　心花

晴れた日にあらわれる
もうひとりのわたし
わたしがどんなに
カラフルなワンピースを着ても
もうひとりのわたしは
目も口も鼻もなくて
もうひとりのわたしは
いつもまっ黒
小さいころから今日まで
いつも一緒にいて
一緒に成長した

もうひとりのわたし
雨の日はもうひとりのわたしは
1日中いない
晴れた日はスキップしても走っても
わたしの足ともうひとりのわたしの足は
くっついてる
「ついてこないで」
といっても歩いたしゅんかんについてくる
けんけんで歩いても
いつももうひとりのわたしは
上手にまねをする
もうひとりのわたしは
朝と昼間は背が小さい
夕方になると背がわたしより

大きくなる
もうひとりのわたし

（いとう　ここな・岐阜県　小４）

共に

大倉　知佳

私は祖母のことが大好きだ
家族で旅行するのも大好きだ
お買い物に行ったり　友達と笑い合ったり
すべてが大好きだ
これが当たり前

ある時ニュースであなたを初めて知った
その一カ月後　学校が休みになったよ
いつまで続くんだろう　中学三年生なのに
あなたは　ずっとそこにいるの
当たり前って　いつ戻ってくるの

あなたはなんでも勢いよく飲み込んでいく
一人　二人　三人
今日で何人の人を失っただろう
最後まで見る事も話す事もなく
骨となり帰ってくるって……ありなの
そんなの　たえられない
そんなお別れしたくない
手洗い　うがい
出来る事はやってみよう
なのに　悲しみばかり増えてゆく

誰も答えが分からない

今日もがんばっている人が何人いるだろう

簡単に負けられない　負けたくない

今日はオンライン飲み会をしたよ
距離をとっての授業をしたよ
久しぶりに友達と話したよ
今日は何人の人を笑顔にできただろう

答えなんて分からない
そんなのみんな同じ
だから作ればいい　答えを　明るい未来を

がんばろう
一緒に

（おおくら　ちか・岐阜県　中3）

千円

大谷　侑大

おじいちゃんが亡くなりました
亡くなる数週前に
千円をもらいました

そして
亡くなってから数年たちました
それでも使っていません

持っている限り
心の中で生き続けると

信じているから

（おおたに　ゆうた・岐阜県　中1）

やさしい風につつまれて

大橋　朋花

「おいで」
青い車のドアが開く
助手席は私の特等席
大きな手が
私の手をすっぽりつつんだ
あったかいね
おじいちゃんが笑う
やさしい風が吹いた

会えなくなっても
にこにこ笑う

おじいちゃんの
ちょっと低い声
ずっとずっと忘れない

青い車の運転席
今は　お母さん
助手席は　私

赤信号
車がとまる
エンジン音が
体に響く
窓から風が入ってくる
やさしい風だ

「おいで」

あれ？

おじいちゃんの声がする

そっと
私を
やさしい風が
つつみこんだ

（おおはし　ともか・岐阜県　中2）

ママのとなりでねるのはぼくだったのに

くりた　ゆうせい

ぼくは、ママのとなりでずっとねていたよ。
いもうとがうまれてからは、
いもうとは、ママの右がわ、
ぼくはママの左がわでねているよ。
ときどきこうたいするけどね。
ことしの二月におとうとがうまれたよ。
ぼくは三人きょうだいのおにいちゃんになったんだ。
それからは、おとうとがママの左がわ、
右がわにぼくかいもうと。
でも、二さいのいもうとが
どうしてもママのとなりでねたいっていうんだ……。

ママのとなりでねれるのは、右と左の二人ぶんしかない……。
「あ～あ。ぼくおにいちゃんだから、
がまんしなきゃ」
ぼくは、パパのとなりでねたり、
おじいちゃんとおばあちゃんのあいだでねたりしている。
でも、ほんとうはママのとなりでねたいのになー。

ある日、大きなにもつがとどいたよ。
それは、ぼくのあたらしいベッドだった。
その大きくてふかふかのベッドでねてみたよ。
ひろびろとしてとってもいいきもち。
ママのベッドのよこに、
ぼくのあたらしいベッドがならんだよ。
一年生になったぼくへのプレゼントだ。

ママのとなりでねるのもよかったけれど、
一人でひろびろねるのもいいよね。

（栗田　悠生・岐阜県　小1）

つかのまの家族

佐久間　あすわ

ふ化したてのちょうが
わたしをお母さんだと思って
なついてきた

ずっとわたしの手の中
すわりこんでいた
たんぽぽのみつをすって

しばらくして
だんだん夜になってきた
ちょうといる時間も

もうない
つかのまだったけど
ずっとずっと家族だよ
「さようなら」
「ありがとう」

（さくま　あすわ・岐阜県　小４）

もう一回

田中　愛純

「これ読んで」
弟が絵本を持ってやってくる
仕方ないなぁ
今日も絵本にチャレンジだ
一人で四役
登場人物になりきって
感情をこめる
じーっと聞いてる弟の顔をのぞきこむ
キラキラとした真剣なまなざし
いいぞこれはいけそうだ
話が終わりに近づいてくる

聞けるかな
聞けるかな
私の聞きたいあの一言
「もう一回」
よし　やった
言ってくれた
弟の「もう一回」は
上手だよのほめ言葉
仕方ないから
もう一回読んであげよう

（たなか　あずみ・岐阜県　中1）

まっくろけ

たなか　さき

おとうさんは　まっくろけ
なつになると　まっくろけ

わたしのうでも　まっくろけ
とうげこうで　まっくろけ

いっしょにおふろにはいったら
はだかんぼうなのに
たいそうふくをきているみたい
ちゃんとくつしたもはいているよ

おとうさんは　さぎょうふく
ながそでとながズボン
だから　かおだけ　まっくろけ
ふたりで　おおわらいしたよ

（田中　咲妃・岐阜県　小1）

この一はりにかけて

徳本　恭子

ねえ、ばあちゃん
ばあちゃんはおさいほう名人だね
一はり一はりが細かくて
まるでミシンがぬっているみたい
わたしのぬい目は
一はり一はりがバラバラで
そしてゆがんでいる
まるでアリの行列みたい

ねえ、ばあちゃん
定ぎで線をひくみたいに

まっすぐぬうにはどうしたらいいの
一つ一つが点のように
細かくぬうにはどうしたらいいの

ねえ、ばあちゃん
いつかわたしも
ばあちゃんみたいになるよ
この一はり一はりを
心をこめてぬうことで
ばあちゃんにちかづけると思うから

ねえ、ばあちゃん
わたしがばあちゃんみたいに
ぬえるようになるころには

わたしがおばあちゃんかな

（とくもと　きょうこ・岐阜県　小5）

ごうかくのさいん

とくもと　けいすけ

かおが見えなくなるぐらいの
大きなぼうしをかぶるのが
はたけに行くよのあい図だ

まっくろでしわしわのてが
うねたて、たねまき、水やり
休むことなく
どんどんうごいていく

ぼくも見よう見まねでやってみるけど
なにをやってもじいちゃんにはかなわない

もたもたしているぼくをみかねて
大きな手がくわにそえられると
まるでまほうにかかったみたいに
くわがおどり出す

うまくさぎょうができたときは

ぼうしの下から見える
じいちゃんの口がわらっている

きょうは、大こんのたねまきの日だ
きょ年もそのまえにもやったことがある
ぼくはしんちょうにたねをまいた

じいちゃんを見あげると
ぼうしの下の口がまたわらった

（徳本　圭佑・岐阜県　小2）

お母さんはぼくの大切なおきゃくさん

中島　碧斗

お母さんは、し事がんばっているね。
いつもつかれて帰ってくるよ。
少しでもくつろげるように
ぼくは、お母さんがお風《ふ》ろから出たら
びようしになってかみの毛をかわかすよ。
そして、マッサージをしてあげると
ウトウトねてしまうよ。
きもちよさそうにねてるよ。
いつもこんなかんじ。
お母さんは、ぼくの手をまほうの手
と言ってくれるよ。

ぼくのまほうの手がお母さんをいやしてるよ。
つかれがとれるのかな。
うれしいな。
いつでもぼくはまっているよ。
お母さんは、ぼくの大切なおきゃくさん。
ゆっくりしていってね。

（なかしま　あおと・岐阜県　小3）

せいたいけい（生態系）

中嶋　蒼太

ママにきいてみた
一人でしぬのと
ママいがい
家ぞくぜんいん
しぬのとどっちがいい？
ママは
そりゃ、ママ一人でしぬほうがいいわ
のこされたらママ、おかしなってまう
というた
でもな　ママ
ママがしんだら

生たいけいがこわれる
パパにずっと
おこられることになる

（なかじま　そうた・広島県　小2）

わたしの夢と家族

中山　絵玲菜

わたしには夢がある
宇宙飛行士になって
空を飛びたい
宇宙をどこまでも　かけめぐりたい

だけど
わたしの両親は　心配する

あの巨大なロケットに
わたしが　乗りたいと思っていること

あの　空気も重力もない宇宙に
わたしが　行きたいと思っていること

ときどき　考える
わたしが　宇宙飛行士になれたとき
家族を　笑わせられるだろうか
それとも　泣かせてしまうだろうか

ロケットや飛行機を見る
わたしの　まなざしを
家族は　いつも見守っていてくれる

新しい宇宙船や補給機の話も
一生懸命　耳を傾けて聞いていてくれる

心配しながらも　わたしの好きなものを
ちゃんと　受け入れてくれる

夢を叶《かな》えるために必要なものは
覚悟と努力だと　わたしは思う
自分を支えてくれる家族の思いを知って
前に進み続ける　覚悟
強い信念を持って　諦《あきら》めずに
積み重ねていく　努力

いつか　わたしの夢が形となったとき
家族に思いきり　ありがとうと言いたい

（なかやま　えれな・岐阜県　中3）

あの木の下で

中山　智尋

私と妹には決まり事がある。
それは一緒に家に帰ること。
学校を出る時間はバラバラなので
待ち合わせてしゃべりながら帰る。
今日もまたあの木の下で待っていた。
一年半ぐらいずっとここで待ち続けている。
今日はなんか遅い。なんかあったのかな。
すると、泣きながら帰ってきた。
事情を聞いて私も泣いた。
込み上げる思いをお互いに吐き出した。
次の日。もう妹は待っていた。

満面な笑顔で私に手を振った。
テストの点数が良かったらしい。
ハイタッチをして喜んだ。
なにげない帰り道だけど、
私にとっては特別で最高な時間。
嬉《うれ》しかったこと、泣いたこと、
怒ったこと、時にはどうでもいいことを
毎日語り合っている。
一緒に帰れるのもあと半年。
たくさん話して、
たくさん泣いて、
たくさん笑おう。
今日もあの木の下で待ってるよ。

(なかやま　ちひろ・岐阜県　中3)

すぱいす

日比野　榛慶

いただきます
おいしいね
おいしいけど　なにかたりない
なにかちがう

なにがちがうかな
パパがいない

ただいま
おかえり

やっぱりおいしい
おかわり

（ひびの　はるちか・岐阜県　小1）

やさしくいってね

前田　朔慶

おかあさん
おこるときは
やさしくいってね

やめなさい　じゃなくて
やめてくださいねって

べんきょうしなさい　じゃなくて
べんきょうしてくださいねって

そうすれば
ぼくも
はい　わかりましたって
やさしくいうよ

（まえだ　さきょう・岐阜県　小3）

おはしならべ

松岡　麗来

わたしのお手つだいは
おはしならべだよ
夜にやるよ
夜ごはんは家ぞくみんなで食べるよ

お父さんのはしは男らしいはし
おこるとこわいけれど
こまったとき話を聞いてくれる
物がこわれたら
「あっと」いうまになおしてくれるんだよ

一番上のお兄ちゃんのはしはやさしいはし
しゅく題がわからないと
「何がわからないの？」
やさしくおしえてくれるよ

二番目のお兄ちゃんのはしは走るのがはやいはし
外でいっしょに遊んでくれるんだ
でも走るのがはやいからおいつけないよ

お母さんのはしはみんなのことを考えているはし
おいしいごはんを毎日作ってくれるんだ
「またこんなによごしたの」
どろんこになったくつした
きた服をまっ白にしてくれるよ!!

わたしのはしは学校だいすきウキウキはし
今日もきれいにならんだよ
みんなで
「いただきます」

（まつおか　れいら・岐阜県　小3）

ぼくの名前

美川　雄志郎

漢字辞典の勉強をした。
井川先生が、
「先生の名前を辞典で調べよう」
と宿題に出した。
(ずるいなあ)
(よし、ぼくも自分の名前を
引いてみよう!)

あった、見つけた!

ぼくの名前の「雄」の字を

じっくりと見て、ゆっくり読んだ。
そしたらだんだんうれしくなって、
文字がじわっとにじんでいった。
　こんな意味でつけてくれたんだ
こんなねがいがこめられていたんだ
お母さんがせ中をさすってくれたけど、
辞典のページがポタポタぬれた。

ぼくの名字はあまりない。
何でも売ってる百円ショップでも、
ぼくんちのはんこは置いてない。
でもヤフーで調べてもらったら、
えど時代にはあったんだって。
これまで何百年もの間、

何百人、何千人ものご先ぞ様が
ずっとずっと守ってくれた。
そんな名字につけられた、
世界で一つのぼくの名前。
お父さん、お母さんのねがいがこもった
大事な大事なぼくの名前。

ありがとう
ありがとう

（みかわ　ゆうしろう・岐阜県　小４）

夜起きたら

三宅　悠生

僕がまだ小さいころ
暗いところがいやで
よくお母さんについてきてもらったなあ
夜起きたら
お母さんをゆすって起こして
「トイレ行きたい」
と言って
お母さんといっしょにトイレへ行ったっけ
今思うとすごく迷惑だと思う
夜起こされるなんてたまったもんじゃない

でもお母さんは
文句も言わずについてきてくれた
すごい人だ

成長するにつれ
僕が一人で行けるようになっても
物音がすると
すぐに気づいて起きてしまう
細心の注意をはらっても
起きて
「どうしたの」
と聞いてくる

何でだろう
今でもなぞだ

今はもう寝る部屋は違うけど
きっとドアを開ける音で
お母さんは起きてるだろうな

もう声は聞こえないけど
今は違う寝室で
僕のことを心配してるかも

（みやけ　はるき・岐阜県　中2）

たくさんの世界

村田　咲弥

私は本が好き
弟たちにも絵本を読んであげる
弟たちも本が好きかな

本を読むと楽しい
本は私をその世界へつれてってくれる
起きてる時も　ねている時も

本も私を好き
図書室に行くと本が私に話かけてくる
「おいで　いっしょに空を飛ぼうよ」

「いっしょに泳ごう　さぁ　来て」
「雪の世界へようこそ」
鳥にも　魚にもなれる　氷河期にも行ける
だから私は本が好き
今日は　どこの世界へ行こう

（むらた　さや・岐阜県　小４）

いのちのめばえ

安田　真有

ある日　おかあさんのおなかに
新しいいのちがやってきた

それは　小さな小さないのち
そらまめくらいのいのち

おかあさんのえいようをたっぷりもらって
そだっていくいのち
おかあさんといっしょにびょういんに
行ったその日

ドクン　ドクン　ドクンと
はやい音が聞こえた
何の音だろう
そう思ったとき　先生が
「赤ちゃんの心ぞうの音だよ」って教えてくれた

赤ちゃんが生まれるのがまちどおしいな
どんどん大きくなるおかあさんのおなか
おなかをさわっていると
ポコポコっと動いた
おなかのなかで赤ちゃんが元気に動いている
ふしぎなかんじだ

おなかに話かけるとたくさん動いた

わたしの声が聞こえているのかな

何日かして……
おかあさんがびょういんににゅういんした
「おぎゃー」
大きなうぶ声とともにたんじょうした
小さないのち　新しいいのちのめばえ
みんなをえ顔にしあわせにするそのいのち

いのちのめばえってすばらしいな

（やすだ　まあり・岐阜県　小３）

Being

牛田　裕美

乾いた砂ぼこり舞うトラック
蜃気楼《しんきろう》にゆがむその白線上を
上気したその顔をゆがませながら
ただ一直線に
ゴールへと足を運ばせる

遠くに聞こえる仲間たちのコールと
視界をとらえる父兄たちの声援と

そこに母の姿はない
僕の前の影が消えて
もう何分たったろう
ただ永遠に続く黄土色のその上を

一歩づつ一歩づつ
土を蹴《け》るスパイクは鉛のように重く
脳みそのどこか奥のほうから
せり上げる吐き気と
額から噴き出る汗で
意識がとびそうになる

何をやってもカッコよくできない僕
逃げることも

戦うことも
できるのは
ただ目の前のゴールを踏むことだけ
ストップウオッチが空をきり
トラックを刻む最後の足音が止まる
お母さん
僕のこと見てくれてましたか

（うしだ　ひろみ・岐阜県　46歳）

優しさ伝えた車いす

打浪　紘一

私の平凡な暮らしの中に
ある日車いすが現れた
リウマチで歩けない義母《はは》のものだ
幼い息子は珍しがって
乗ってみたそうに輪っかをさわる
「乗ってみる?」と義母《はは》が言うと
うれしそうにうなずいた

春のやわらかな日差しの下を
車いすを押して神社へ出かけた
ホロホロと桜の花びらが

義母《はは》の肩に舞い落ちる
今日は足の痛みもやわらぎ
義母《はは》の表情も穏やかだ
「ばあちゃん、押してあげる」
息子は小さな手足で力いっぱい
車いすを押すが
神社の砂利が邪魔をして
車輪はちっとも回らない
唇かんだ悔しそうな顔に
義母《はは》は「ありがとうね」を繰り返す
境内の神馬《しんめ》に手を合わせ
「ばあちゃんの足が治りますように」と
祈る姿がいじらしかった

「ばあちゃんはお星さまになったよ」と
私は息子と夜空を見上げた
「もう足は痛くないね」と息子は言う
義母《はは》は、身体は不自由だったが
大らかで周りを明るくする優しさを
いつもみんなに振りまいてくれた
おかげで息子の心にも
優しさの種子《たね》が育っている
「お義母《かあ》さん、ありがとう」
短い間の家族だったけれど
あなたと過せて幸せでした
残された車いすには
まだ義母《はは》の温かさが残っているようだ

（うちなみ　こういち・大阪府　77歳）

弟

奥濱　流華

おばあちゃん家《ち》から帰ると、ヤツがいた
ヤツは部屋の真ん中で眠っていた
ヤツは家に来て三日もしないうちに
父さんと母さんの心を摑《つか》んだ

ヤツが来て早二年
私は母さんに怒られた
そしたらヤツも悲しい顔して座ってる
よちよち歩きで向かってくるヤツを見て
私は心が救われた
同じ表情を浮かべるヤツ

こんな小さな子に悲しい顔をさせた
この子を守らなきゃ
たった一人の弟を

あれから時がたち
私は高校三年生
小さかった弟も
今では小学四年生
家に帰ると聞こえてくる
「お姉ちゃんお帰り」

（おくはま　るか・沖縄県　18歳）

あーん

まんままんま
あーんして
あーん

弟の口元に離乳食を運ぶ母
僕はぐるぐる
母と弟の周りを跳ねて回る
弟に母を取られて
僕はただひたすら
ぴょんぴょんぐるぐる

健一

あれから五十余年
弟はいなくなり
それでも母は弟がそこにいると言う
僕には見えない弟
どこかへ行った弟

おかゆさんだよ
あーんして
あーん

母の口元に匙《さじ》を持っていく時
僕と母の周りを
ぴょんぴょんぐるぐる
跳ね回っているのは誰？

いなくなった弟？
それとも幼い頃の僕？
食べこぼしを拭《ふ》きながら
母の笑顔に匙が進む
カーテン越しの陽が暖かい

母さん
今度はゼリーだよ
あーんして
あーん

（けんいち・埼玉県　55歳）

さざなみ

下坂　卓也

君達はおぼえているだろうか。

なあ坊やよ、なぞなぞだぞ。
口いっぱいに広げた、あのりんご飴《あめ》の味覚えているかい。
あの金魚売りの汗。
夢中になって捕ろうとした熱心な試み。
一緒にいた姉は捕るの上手《うま》かったよな。
時を忘れ永遠に夢中になり、
僕の夏は未来永劫《えいごう》来る思い込み、
いつだったろうか僕の夏切り裂き、
もう夏祭りなんて行くのやめよっかって、

大好きだったんだよ、サマーカーニヴァル。
サンバの踊り子達に紛れる父、この酔っ払いが。
母はそれを見て恥ずかしそうに眺めていたけど。

初めて行った海水浴場。
小さかった僕は、果敢にも細波《さざなみ》に挑戦し、
溺《おぼ》れそうになりながらも、母に褒められたこと、
一生忘れないぞ。
楽しかったこと、いっぱいあったよね。

なあ坊やよ、なぞなぞだぞ。
あの海の青さ覚えているかい。
望み叶《かな》えたまえよ。
あの海にまたチャレンジ出来ることを。

おかげで泳ぐのは得意になったよ。

なあ坊やよ、なぞなぞだぞ。
思い立って開いたアルバム。
眩《まぶ》しかったよね、目を瞑《つむ》っちゃってさ。
ヤンチャもいっぱいして家族を困らせたことあったよね。
ごめんなさい。
先生に呼び出されて、不貞腐《ふてくさ》れてた僕は
後から来た母に何も言わなかったよね。
今では本当に悪かったと思うよ。

なあ坊やよ、なぞなぞだぞ。
心から僕そのものを受け入れてくれた家族よ。
心からありがとう。

シャボン玉ふわふわ未来に落ちている。

（しもさか　たくや・福岡県　34歳）

兵士

下地　悠誠

祖父の家にあった古い絵、
とても古びた兵士の絵、
私はその絵について母に尋ねた。
「あの絵はなんで置いてるの」
母は優しい声で言う。
「あれは写真で絵じゃないよ」
その会話をしてた時、
ふとある話を思い出した。
それは亡くなった祖父の事、
十四歳で戦場に。
もう一度見たその写真、

なぜだか強さが増していた。

（しもじ　ゆうま・沖縄県　17歳）

母ちゃんとえんぴつ

団藤　翔一

こっこ　こっこと雪が降り
練炭火鉢が　ぼっぼっと居間で燃え
ぼくは　ぼんやりと火鉢に手をかざし
行きたくない学校のことを思い浮かべる
母ちゃんは　せっせ　せっせと小刀で
ぼくが学校へ持ってゆくえんぴつを削る
削りくずが火鉢に入って　ぼっ　ぼおっ
母ちゃんの口癖は「うちはびんぼうやから」
夏休みにどこか連れていってほしいと言えず
お菓子が食べたいとも言えず
おもちゃがほしいとも言えず

えんぴつ削りがほしいとも言えず
小刀で削った先がちょんちょんのえんぴつ
クラスのみんなは珍しがり　ぼくをからかい
ぼくは恥ずかしくて学校は行きたくなかった
「いっしょうけんめい　やってきーよ」
いつも　そう言って母ちゃんに送り出され
行きたくない学校へ向かった
「うちは　びんぼうやから……」
あれから　半百の歳月が流れ
ぼくは　半白の還暦男になり
えんぴつ削りなど百均で買える時代になり
母ちゃんは施設に入った
母ちゃんは行くと　木の机に向かって
いつも　えんぴつで日記を書いている

ペキンと　えんぴつの芯《しん》がおれた
「おれが　削ったる」と小刀を手にすれば
「手をけがせんように　やるんやぜえ」
九十五歳の老母は六十の息子が
えんぴつを削るのを　心配する
ぼくが　施設から帰るときは　いつも
「菓子をもって帰り」と言って菓子をくれる
甘い物が欲しいわけではないが
とにかく強引に菓子を押しつけられる
「昔は　びんぼーやったで
　菓子もよー買ったれなんだでなあ」
帰路につくぼくに母ちゃんは窓から手を振る
母ちゃんの腕は　えんぴつぐらい細かった

（だんどう　しょういち・岐阜県　63歳）

ひと匙のスープ

中原　賢治

今年の冬はあたたかで
肌着だけでぼんやりすることができたが
こどもたちが好きな
亡き母の畑で獲《と》れた野菜たちの
スープは塩あじだけ
だけど鍋《なべ》のなかは楽しそうだ

ニンジンもタマネギも虫にやられた
家族みんなに隠していた
白内障の母の眼がさみしげに言う
虫喰《むしく》いの野菜たちが

すまなそうに萎《しお》れた顔をみせるが
母の野菜スープはおいしかった

大切な伴侶《はんりょ》を喪《うしな》っても
野菜たちへの愛情を忘れない母は
一枚一枚の葉も枯れさせないように
我が子を他人様から守るように
新芽を両の手でやさしく囲い
太陽や雨雲とのつきあいに丁寧に勤《いそ》しみ
一匹の葉虫すら容赦なく殺した

母の腹を膨らませ腸をねじらせ
母の血ぐるみひきずる病魔に
朽ちた木彫に化身させたひと耐える

渇いた唇にひと匙《さじ》のスープが
急に見開いた濁った眼に
青々と元気に育つ野菜たちの
主の帰りを待つ声援が響いていた

母から伝授されたスープができた
風小僧と未来をおしくらまんじゅうする
こどもたちを呼びに行こう
わずかな鳥肉の味を隠し
母が育てた野菜たちの光の個性に
ひと匙のスープがつなぐ命の歓《よろこ》び
母の匂《にお》いは土の匂い

（なかはら　けんじ・岐阜県　66歳）

懐かしき人々

中村　有史

故郷を旅立つとき
手を振ってくれた人は皆
遠い国の人となった
私は今
コロナの国の住人として生きている
年老いた身には常に
故郷の虫の音が耳鳴りとなって付きまとう
恩を返すこともできず
次の世代に何も残せない
羞恥《しゅうち》が闇《やみ》と共に膨らむ
絆と絆が絡み合って

どんな布を織りあげるのだろう
父よ母よ
妻よ子よ
眺める月は涙色
濡れた手が光る

（なかむら　ゆうじ・東京都　63歳）

伝えきれないこと

流歩詩

上京して一人暮らしに慣れた頃
母にとって覚えたてのＬＩＮＥ
友達感覚で交わす言葉のやりとり
上手《うま》く言葉にできなくて
伝えたくて伝えづらい想い
そっとファイルフォルダーにしまった
毎日のように
夕食の写真を見せ合う私たち
実家で一緒に台所に立っていた頃
吹き出す思い出話に花が咲く
味付け　香り　料理の温《ぬく》もり

「おいしい」交わされた会話たち
伝えきれなくなって胸を絞めつける
伝えきれないもの
本当は伝えたくて言葉にしがみついている
伝えきれなくて
飛べないのに
必死に翼を広げようとしている
帰郷への外出自粛要請
私たちを遠ざける呪いの言霊
実家へ帰るのを諦《あきら》めた夏休み
用件だけを送信した後
噛《か》みしめて電話した
「ごめんね」
「本当は帰りたいの、母さんに会いたいの」

涙声で母は「私も同じよ」と言ってくれた
伝えきれないもの
勇気が出せなくて　素直になれなくて
泣きべそかいている
伝えたいこと
通じ合って　嬉《うれ》しくて　まだ泣いている
遠く離れていても
お母さんをそばに感じた
抱きついて触れ合った
ちっちゃかったあの日のように

（ながれほし・香川県　41歳）

てるてる坊主

ひびの　みき

二〇二〇年　七月五日
私の祖父の突然の訃報《ふほう》
下呂《げろ》の祖父に最後に会ったのはいつだっただろう
どんな話をしたかも覚えてない
すごく短い時間だった
いつまでも元気でいてくれる祖父に
胡座《あぐら》をかいてしまった
あんなに可愛がってもらったのに
何の孝行もしないままだった
七月七日
下呂市を襲った集中豪雨

最後のお別れにすら
行けなかった
くやしくて、悲しくて……
祖父の笑顔や思い出が
次々と頭の中をよぎり、涙があふれた
そんな時、娘が私にそっと差し出した
何とも愛らしいてるてる坊主
「大じいちゃんが大雨の中
ちゃんとお空に行けますように」
「そうだね、こんな雨じゃお空に行くのも大変だ
きっと、これで無事お空に行けるね」
にっこり笑ったてるてる坊主が
祖父の優しい笑顔に似ている気がした

（岐阜県）

父ちゃん

松本　清美

学校にあがって
母ちゃんはいつのまにかお母さんになった
父ちゃんはいつまでも父ちゃんだった
お父さんと呼ぶ頃にはいなくなった

父との思い出は数えるほど
映画でもらい泣きする父をからかった事
焼肉屋で「兄妹」みたいだと言われ
総入れ歯をばらした事
にこにこして私を見る父がいた

大人になって父に会った時
やっぱり父ちゃんが似合う人だった
私は父ちゃんが似合わない人になった
会えばずっと一緒に居た様な父娘になった
不思議な謎だった

再婚した奥さんが入院して駆けつけた
父の家でたくさん過ごしていると
「迷惑かけんようにせな」をよく言った

脳梗塞《のうこうそく》で退院した時は3時間の散歩
40年以上続く早朝の散歩
家事全般も一人で引き受けていた
今までの様々な行動と言葉が噛《か》み合って

やっと謎が解けた

私が父を忘れていた時も
忘れられたと思っていた時も
父の中には私が住んでいたんだ

40年以上変わらなかったアパート
去年2階から1階に引っ越した
私の誕生日を見て大家さんが言った
「ああ、だから8号室やったんやね」
私の誕生日と同じだった
気付かず書いてきた父の住所
今になってまた父ちゃんを噛みしめた

（まつもと　きよみ・神奈川県　61歳）

ソラシドの空

目加田　良一

梅雨明け時
心地よい風が背中を抜ける
帰宅を急ぎ私は歩く
空はいつまでも高く
半月《はんげつ》はすでに真上にある
私は半月の片方を探すように見上げた
歌う黄昏《たそがれ》
送電線にかかる星がソラシドと並ぶ
ドの音は飛行線を描いて音符から外れた
街の灯りが次第に浮かび
家の明かりが音を奏でる

私は大きく跳ね飛び
浮かぶ月の欠片《かけら》を摑《つか》んで見せた
今宵《こよい》は
ポケットにしまった欠片を見せてあげると

（めかた　りょういち・岐阜県　45歳）

真夜中の運動会

若山　里英子

今日も朝から体が痛い
私の寝相が悪いせいかな
いや　違う
三人の子供達の寝相のせい

真夜中　布団の上　寝たままの運動会
枕で玉入れ
布団で綱引き
体を重ねて組体操
布団をはみ出し部屋中でリレー
大きな寝言は応援合戦

テントの隅で応援している母親の姿は
布団の隅で縮こまる私の姿
元気に笑顔で起きてきた子が一等賞
でも
今夜の運動会
雨天中止じゃだめですか

（わかやま　りえこ・岐阜県　38歳）

孤独の正体

わたなべ　群青

故郷の山が雪景色を始めた頃
祖母は最期の準備を始めた
ゆっくりゆっくり　枯れていたはずなのに
竜宮城に足を運んだ歳月のように
速度を上げた
ゆっくり枯れつつも
幾度となく持ち直した身体は
そろそろ限界だと
子どもたちが孫たちが涙を流す

私の母は　祖母が枯れかけるたびに

離れた土地に住みながらも
夜遅くまで残業した翌日も
雨の日も　雪の日も
何度も何度も　会いにいった

母は幼い時から
母子家庭の長女として育ったから
自分しかいないと　私に呟《つぶや》きながら
10年以上も前から　祖母を支え続けた

しかし　祖母の最期は
近くに住む兄弟たちで頑張るからと
母は告げられた

最期の別れになるならば
何もしないなんてできない
私が今まで支えてきたのに
最期まで支えたいのに
と、電話越しに伝わる母の声は震えていた

記憶が曖昧《あいまい》になってきた祖母は
母はずるい　と、理由も告げず周りにこぼした
それを母は声を震わせながら　私に吐露した
祖母に認められたい母の姿と
母に認められたかった私の姿が
だぶって見えた
幼い頃の私が抱えた　孤独の種は
半世紀も前に

播種《はしゅ》されていたのかもしれない

母よ　貴女の心に宿る孤独は
半世紀も前に　取り残されたままだったのか
私は我が娘を胸に抱きながら
子どもの姿で私の前にいる
母の孤独の頭をそっと撫《な》でた

（わたなべ　ぐんじょう・東京都　36歳）

だから、お願い

渡邉　泰隆

学生安アパートの重い鍵をまわすと
冷たい床に置かれた留守番電話が
バイト帰りの僕を迎えてくれた
ピーッ、
ちゃんと食べていますか。
今度いつ帰ってくるの。
缶づめ送りました。
母ちゃん、そんなに慌てて話さないでよ
忙しいフリをして、
もったいぶって、
すぐには電話を返さなかった

聞き慣れたスマホ着信音が
スーツのポケットで鳴る
〝着信　オカン〟
お父さんが倒れて病院へ運ばれたの。
すぐ帰ってこれる？
先生が、家族をすぐ呼んでって。
母ちゃん、そんなに慌てて話さないでよ

はやる気持ちを知らず
今夜のカーナビはずいぶんと遅い
もっと慌ててよ、母ちゃんみたいに
両手とハンドルが汗で密着する

これからはもっとまめに連絡するよ
孫の顔も見せに行くよ
そうだ、今度家族で旅行に行こう
だから……だから……

（わたなべ　やすたか・愛知県　47歳）

夜中の挨拶

渡会　環

婚礼前夜
母とふたり
いつもの夕餉《ゆうげ》
父はすでに亡く

母は　おかずをつつきながら
「挨拶《あいさつ》なんか　無しにしようや」と
きまり悪そうに　照れくさそうに笑って
テレビに目を向けた
「ああ　うん」
わたしは曖昧《あいまい》に答えた

画面の中は　全くの他人事で
肝心な言葉は　宙に浮いたまま
漂っている

夜半に目覚めれば
鈍いオレンジ色の豆電球
微《かす》かな秒針の音
母とふたりの時間が　過ぎてゆく

手を伸ばし
隣で寝ている母の
布団の端を　きゅっと握り
「おかあさん
　ありがとう」

「おかあさん
ごめんなさい」
かわるがわる　つぶやいた

（わたらい　たまき・岐阜県　59歳）

あとがき

私たちのまち養老町には、「滝の水がお酒になった」という親孝行の孝子伝説があります。その孝子伝説には、親が子を思う心、子が親を思う心という、私たちが生きるうえで、最も大切な心のありようが、素朴な表現で美しく描かれています。このような親子愛や家族愛をテーマにした詩の全国募集事業も今年度で二十一回目です。「家族の絆」が脈々と受け継がれていることに喜びもひとしおです。

さて、令和二年の幕が開くと同時に、「新型コロナウイルス感染症」という新しい病名が日本および世界中に拡がりました。二月下旬には首相による休校措置発令。外出自粛にテレワーク。夏でもマスク着用が必須。ゴールデンウィークやお盆も帰省を控える人々。もちろん観光地は閑散とし、当たり前のことが当たり前ではなくなってしまいました。しかし一方では、家族で過ごす時間が圧倒的に増え、家族について考える良い機会になったかもしれません。コロナ禍での募集に少なからず不安はありましたが、例年どおり日本全国へ募集をかけたところ、過去最高の四十二都道府県より応募がありました。また、高校生（一般の部）やメールでの応募も増え、嬉《うれ》しい限りです。一緒に過ごす家族への思い、遠く離れて暮らす家族に思いを馳《は》せる人、どの作品も一語一語吟味して綴《つづ》られ、その文面から家族への深い愛が感じられます。その時々の自分の感情に寄り添う言葉や素直な言葉を使って表現されているからこそ、心に染み入ってくるのでしょう。本書を手にとって読んでいただいたみなさんも、「家族の大切さ」「親子のつながり」など、人と人との『絆』に共感していただけたことと思います。

「親と子が心豊かにふれあえるふるさと養老」を目指してスタートしたこの募集事業が、これからも多くの方から愛され、また、全国の方々に浸透し、さらに応募が増えていくことを願ってやみません。

この詩を募集するにあたり、情熱をもってご指導・選考運営にあたっていただいた、審査員の冨長覚梁先生、椎野満代先生、頼圭二郎先生、岩井昭先生、天木三枝子先生に厚くお礼申し上げます。また、本書の刊行に全力を傾けられました大巧社の方々のご苦労に対し敬意を表すとともに、本事業をさまざまな形でご支援いただきました関係する全ての皆様に、深く感謝申し上げます。

令和三年一月十四日

養老町愛の詩募集実行委員会会長

養老町長　大橋　孝

第二十一回「家族の絆　愛の詩」の募集には、
令和二年六月八日～九月四日の期間に一般の部三三五篇、
小中学生の部二〇〇四篇、計二三三九篇の応募があった。
令和二年十月十四日に最終審査が行われ、
各部とも最優秀賞一篇、優秀賞二篇、佳作十七～二十二篇が選ばれた。
なお、本書に掲載した年齢・都道府県名は応募時のものである。
また、本人の希望により、筆名を記したものがある。

●帯(表)のことば

松尾静明（まつお　せいめい）

詩人・作家　1940年広島県生まれ

詩集『丘』『都会の畑』『地球の庭先で』の他，〈ゆうき あい〉の筆名で，歌曲，児童文学，児童詩・童謡などを手がける。日本詩人クラブ会員，日本現代詩人会会員，日本文芸家協会会員，日本歌曲振興波の会会員

●カバー・本文画

山田喜代春（やまだ　きよはる）

詩人・版画家　1948年京都生まれ

詩画集『けんけん』『すきすきずきずき』他，エッセイ集・版画集など。各地で個展開催

家族《かぞく》の絆《きずな》　愛《あい》の詩《し》　12（愛の詩　シリーズ21）

二〇二一年二月一日　第一版　第一刷印刷
二〇二一年二月十日　第一版　第一刷発行

編　者……岐阜県養老町《ぎふけんようろうちょう》
発行者……根岸　徹
発行所……株式会社　大巧社
千葉県習志野市袖ケ浦2―1―7―103
〒275―0021
電話　047―407―3473
FAX　047―407―3474
印刷・製本……株式会社　文化カラー印刷
 ISBN978-4-924899-96-4

岐阜県養老町愛の詩シリーズ１～20

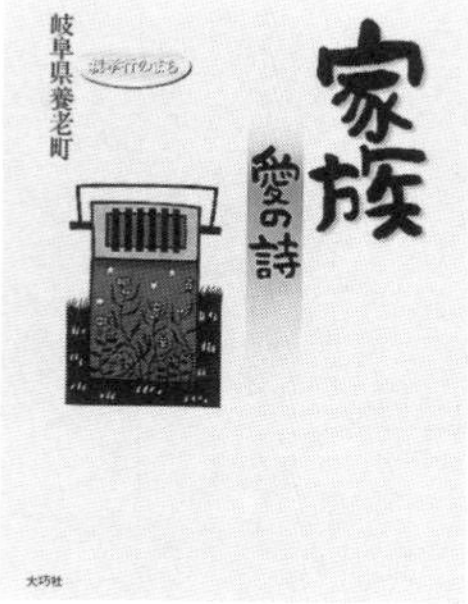

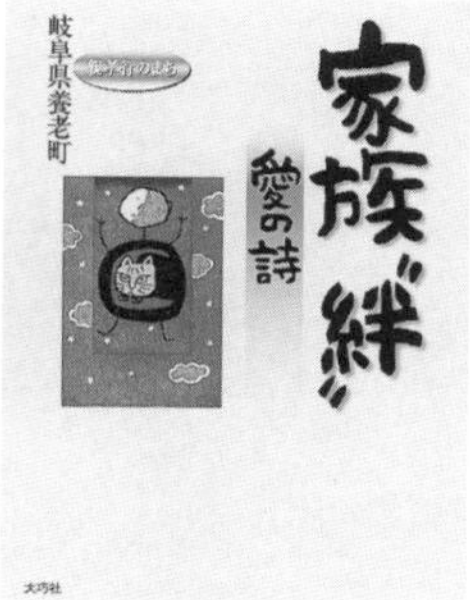

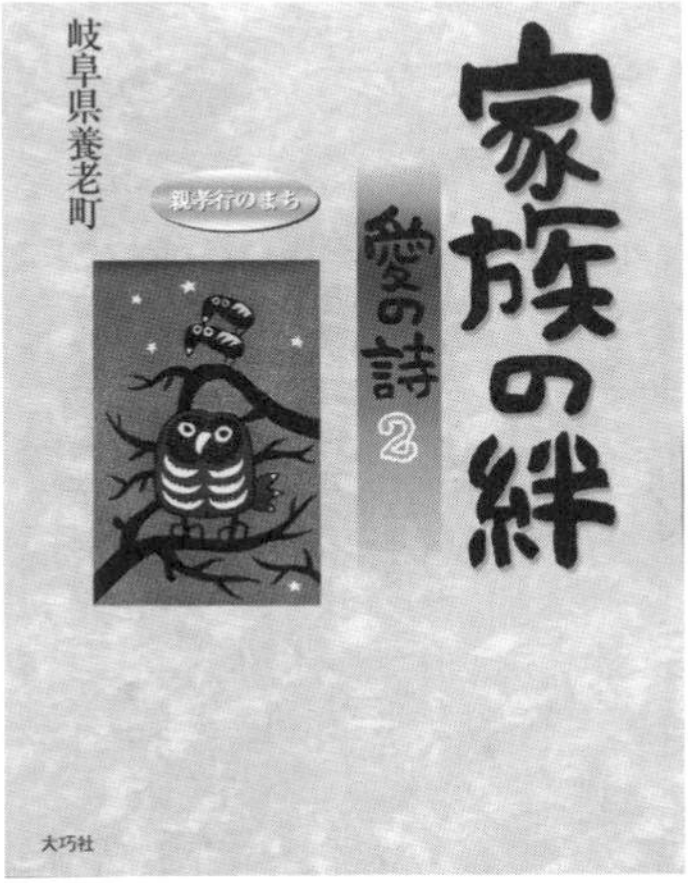
岐阜県養老町
親孝行のまち
家族の絆
愛の詩 2
大巧社

岐阜県養老町
募集10周年記念
家族の絆
愛の詩
大巧社

岐阜県養老町
親孝行のまち
家族の絆
愛の詩 4
大巧社

岐阜県養老町
親孝行のまち
家族の絆
愛の詩 3
大巧社

家族の絆
愛の詩 5
親孝行のまち
岐阜県養老町
大巧社

家族の絆
愛の詩 6
親孝行のまち
岐阜県養老町
大巧社

家族の絆
愛の詩 7
親孝行のまち
岐阜県養老町
大巧社

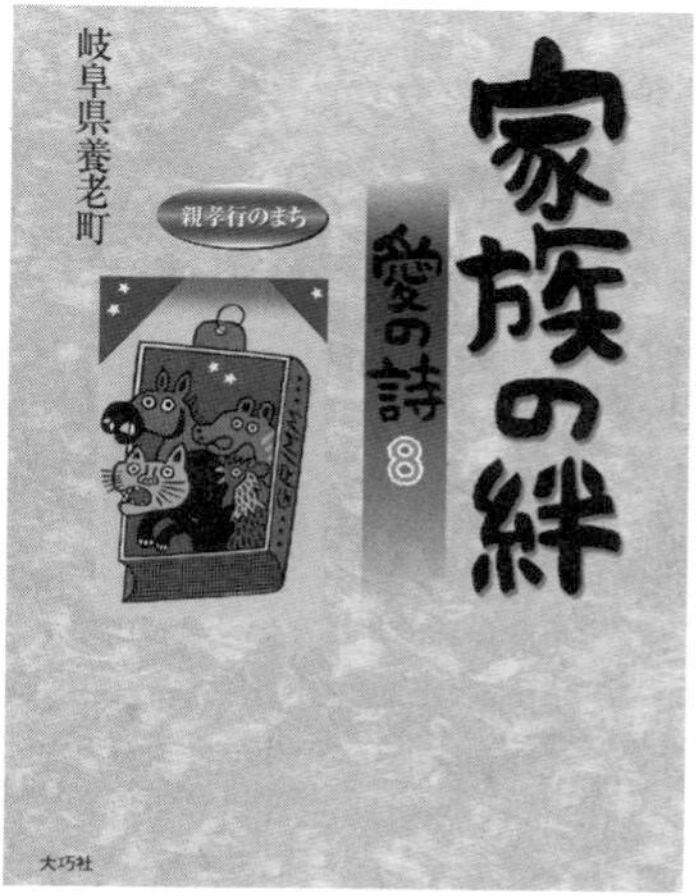
家族の絆
愛の詩 8
親孝行のまち
岐阜県養老町
大巧社

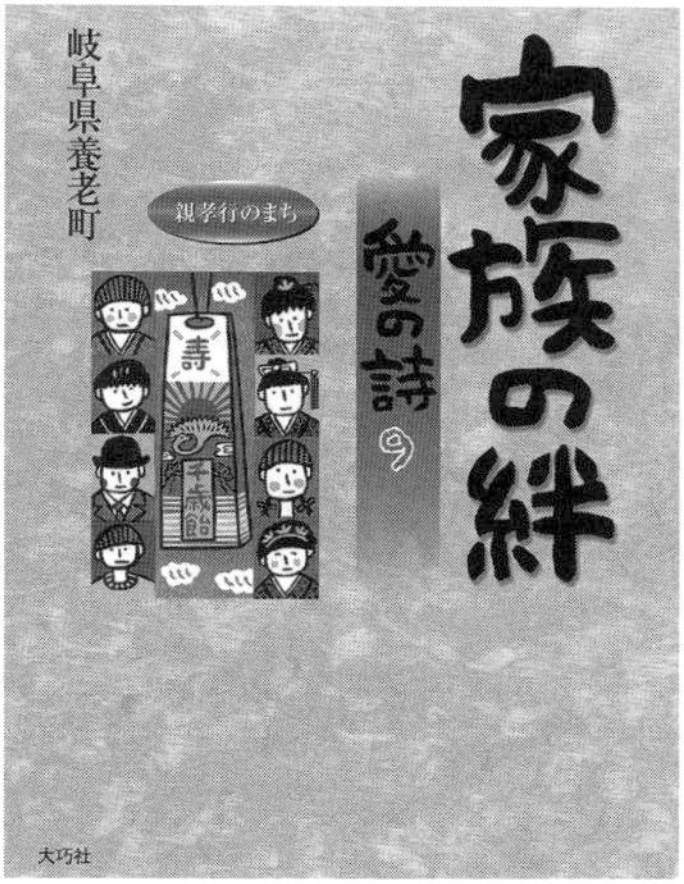
家族の絆
愛の詩 9
親孝行のまち
岐阜県養老町
寿
大巧社

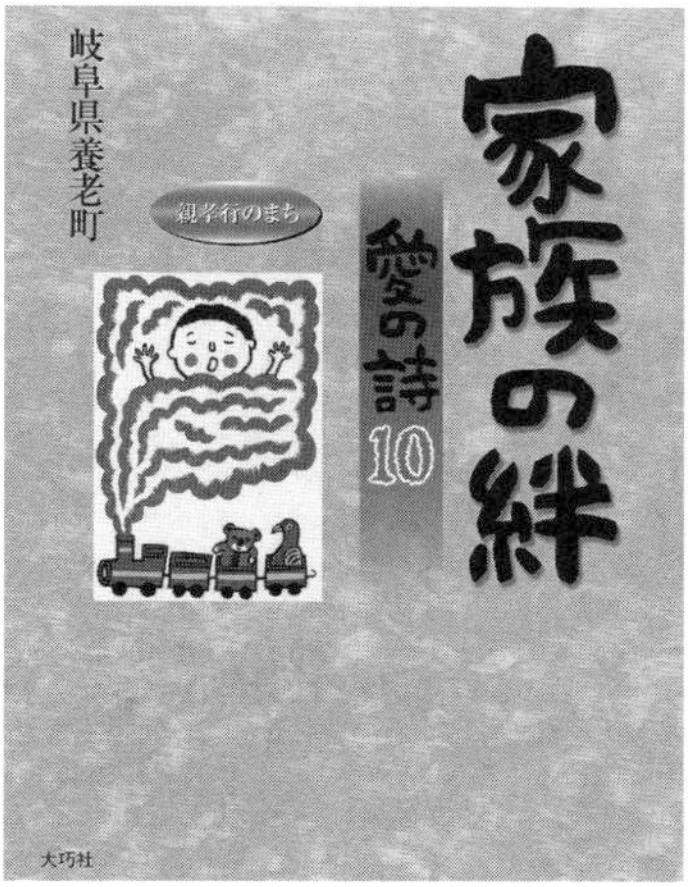
家族の絆
愛の詩 10
親孝行のまち
岐阜県養老町
大巧社

家族の絆
愛の詩 11
親孝行のまち
岐阜県養老町
大巧社